母鸡萝丝
去散步

文·图／[美]佩特·哈群斯

母鸡萝丝
去散步

明天出版社

图书在版编目(CIP)数据

母鸡萝丝去散步／[美]哈群斯编绘；上谊出版部译.

—济南：明天出版社，2008.12

（信谊世界精选图画书）

ISBN 978-7-5332-5938-9

Ⅰ.母… Ⅱ.①哈… ②上… Ⅲ.图画故事—美国—现代 Ⅳ.I712.85

中国版本图书馆CIP数据核字(2008)第188255号

母鸡萝丝去散步

文·图／[美]佩特·哈群斯　　译／台北上谊文化实业股份有限公司编辑部

总策划／张杏如　责任编辑／刘 蕾　美术编辑／于 洁

特约编辑／马永杰 刘维中 邱德懿　特约美编／黄锡麟 王素莉

出版人／刘海栖　出版发行／明天出版社　地址／山东省济南市胜利大街39号

网址／www.tomorrowpub.com　www.sdpress.com.cn

经销／各地新华书店　印刷／上海中华商务联合印刷有限公司

开本／230×189毫米　16开　印张／2

版次／2009年1月第1版　2009年1月第1次印刷

ISBN 978-7-5332-5938-9　定价／27.80 元

山东省著作权合同登记号　图字：15-2008-149号

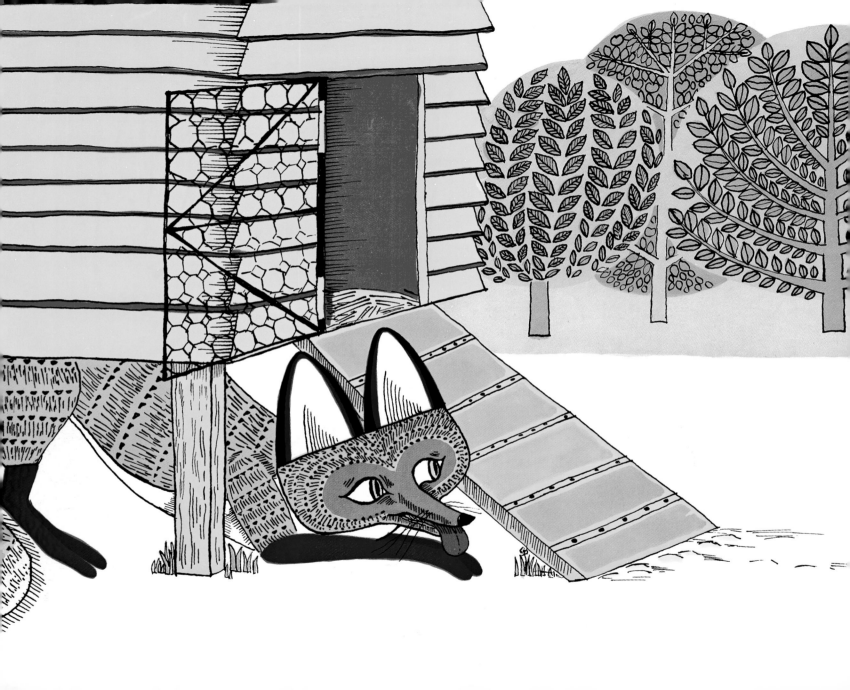

母鸡萝丝出门去散步

她走过院子

绕过池塘

越过干草堆

经过磨坊

穿过篱笆

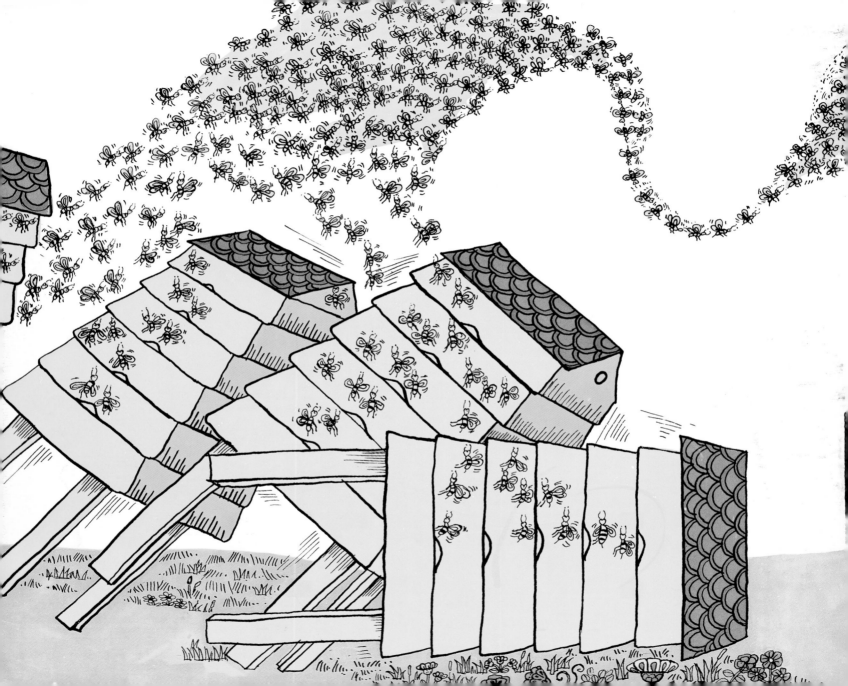